브라키오사우르스

브라키오사우르스

발　행 | 2024년 06월 25일
저　자 | 최울새
펴낸이 | 한건희
펴낸곳 | 주식회사 부크크
출판사등록 | 2014.07.15.(제2014-16호)
주　소 | 서울특별시 금천구 가산디지털1로 119 SK트윈타워 A동 305호
전　화 | 1670-8316
이메일 | info@bookk.co.kr

ISBN | 979-11-410-9100-2

www.bookk.co.kr

브라키오
사우르스

최울새 지음

목차

@santa.s_blacklist___

다소 거친 표현이 아려 버거울 수 있으나
읽음에 시간을 충분히 들여
책의 첫 장과 종장 사이의 뒤엉킨 시간들을
차근차근 풀어가며 읽으면

예상치도 못한 곳에서
넘겼던 글이 이어지는 것을 보게 될 것입니다

그 탓에 때로는 소설처럼 느껴질 수도 있지만
한 편 한 편이 잘린 시간의 단면이 되어
그 모든 게 당신에게 이해되었을 때

어쩌면,
당신은 그에게서 위로를 받을지도 모릅니다

- 정환희

향수

칙 칙
향수를 맡자

테레비에 케로로가 나오는
노을 사이 그네가 흔들리는
휘젓는 팔 끝에 신발주머니는
또 어디선지 잃은 채로 뛰어가는
한여름 풀 끝에 남은 이슬을
추운 새벽 가라앉은 안개 속 습기를
누나가 쿠키를 구웠다며 건네주던 작은 손을
인사 없이 떠나갔던 작은 애를
피아노를 잘 치던 하얀 친구를
떠난 뒤 듣지 못한 소식을
나와 2학년과 3학년과 4학년과 5학년에 만난 아이들을
함께 3학년과 4학년과 5학년과 6학년을 맞진 못한 아이들을
만남과 만남의 끝을 봄과 겨울마다 느끼던 남은 아이를
떠나간 얼굴을 이내 잊은 아이를
혼자 걷던 등교길의 길다람을
혼자 남은 거실의 거대함을
그리워함으로 그리움을 맞는 법을 모르던
그래서 맹수 피하듯 움츠러든 어둠을

그래 한 번
맡아보자꾸나

할아버지

빈 것을 비게 두는 이가 어른이고
나는 할아버지

어른은 그대로 둘 뿐이고
할아버지는 비게 하는 사람
그러니 할아버지

꼭 찬 걸 비우는 이의 심정은 어떤?

자네, 자네 이제 방 뺄 시간이네
다음 세입자? 받지 않네
이 곳은 이제 사람이 살지 않네
그럼 나는 여기를 무어라고 불러야 하는가?

집이란 게 사람이 살아주니 집인거지
사람 살지 아니하는 집이 어디 집이겠나

너도 가라
애 데리고선 가라
여기는 공터요 너희는 없다

할아버지 주름 사이
빈 것 뿐이 없다

브라키오사우르스

브라키오사우르스는 위장이 너무 커
돌까지 삼키며 속 것을 되새긴다

소화라 함은 무엇을 자신으로 만드는 과정

자신이 되기 위해
돌 같은 다짐을 삼키는 일로
브라키오사우르스

돌 같은 다짐은 상기

상기라 함은
슈퍼 가는 길 살 것을 되뇌는 일
배운 것을 잉크로 남기는 일
선택을 잊지 않는 일

무얼 상기하는지
그건 어떤 돌을 삼켰는지

아— 위장을 뒤집어 까요

이건 07의 베란다
이건 19의 커터
저건 20의 사진관

아니 아니, 애네는 다 상한 것들이고요

그랬음 안됐던 무얼 버리는 손과
그랬음 안됐던 무얼 잡은 손과
그랬음 안됐던 무얼 놓친 손이
돌 같은 다짐, 상기, 브라키오사우르스

길다란 식도를 지나 위장으로

쿵 쿵

웃음 지으려 하면 또 삼켜

쿵 쿵

나는 실로 나만한 사람
선택은 실로 브라키오사우르스
태양으로 칠한 그림자

까마득한 브라키오사우르스
콩알만한 174
눌러 앉은 모퉁이돌

브라키오 브라키오
사우르스

스키야키

과거의 당사자와 만난 날은 즐거웠다

나는 저 아이를 좋아했고
저 아이는 내게 미안했다

떠들며 저 아이는
마주친 못된 사람의 이야기를 했고
듣던 나는 내가 겹쳤다

나는 찔린다 말하였고
아이는 화제를 바꿔주었다

공룡 같은 과거는 여전히 거대했고
그 말을 한 나는 아직도 작았다

저 아이의 빛은 여전히 내겐 선명했고
그것이 사랑인 줄 알던
그 병신 같던 과거를 되짚어도

네가 원망스러울 이유는 어디에도 없었다

같이 담배를 피며 묻고 싶었다
나는 그 못된 사람들과 무엇이 달라

이렇게 웃으며 다시 만날 수 있는지
나는 네게 좋은 사람이었는지

그 날 따라 그 집 스키야키는 참 맛이 애매했다

중산마을 6단지 아파트 베란다엔
실외기가 달려있어

그 위 쌓인 먼지 가운데
11살 짜리의 발자국 두 개가 툭
찍혀있었고

그 12년 후

발을 딛지 않은 어느 소년의 왼팔엔
커터가 지난대로 빨간 선이 있었다

그 내년
인천 어느 사진관엔 영정사진을 찍으러 온 손님이 있었고

연탄은 골랐던 손님은 말을 고르지 못해
그냥 사진을 찍었다

찰칵 찰칵
쿵 쿵

3년 후
그는 그 시간들을 되뇌이고
마침내 단어를 골라 이렇게 적는다

죽는 게 어려운 이유는
그 방법 때문이 아니라
그 사실을 알리는 일 때문이라고

-

1년 후 나는 이렇게 덧붙인다
나는 살고 싶었다

너구리

강불에 올린 물이 끓을 때
면을 넣을 타이밍은 그 때다

처음 담겼을 때의 모습은 온데간데 없고
온 몸이 난도질 당하듯
물이 발작할 때

그 때,
두껍고 단단한 면을 넣는 순간은 바로 그 때여야 한다

온 몸에 난도질을 당하는 것 같으나
아직 발작을 일으키진 않아서

두 발 아래 거대한 불이
강하게 날 탐하고 있음은 또 알아서

발작만을 기다리는 평범한 저녁
두껍고 단단한 슬픔을
꼬들하게 풀어헤칠 그 날을
바라며 기다리는 평범한 여느 저녁

끓으려는 나를 보며

그냥 지금 넣어버릴까 고민하고
끓는 나를 그려보며
아직 아니라며 붙든다

온 몸이 발작을 일으킬 때
두껍고 단단한 면을 넣을 순간은
그 때

얌전한 척 참을만한
아직은 아닌 그 때

적막의 저녁

불 그 앞에 냄비 앞에 앉아
썰어놓은 것을 하나씩 집어넣다 팔을 데였다

쓰라림에 울며
그 사유 따월 찾는 불은 일렁이고
냄비 속 물은 보글거린다

마주 앉은 이 없는 저녁이 무서운 건
물 끓는 소리가 선명해서

눈물의 감촉이 더러워 악 물다 숨을 뱉고
썰어넣을 것을 찾아도
마주 앉은 이 없는 저녁이라

뜨기는 할런지 모를 해를
이제는 그게 맞는 지도 모를 해가 뜨면 아침이라는 일을
기다린다기보단 버티며
버틴다기엔 으스러지며

말 할 사람도 없거니와 할 말조차 몰라
아─, 아─

보신탕

무언가 바래보자
무엇을?

아, 나는 바라지 않는 것을 바랄래요
아, 그저 밥 한 끼 원할래요

목줄을 차고 마당에 처박혀
뛰는 상상으로 족할게요

아- 하늘도 맑아라

비가 새는 개집 살아도
날만 좋으면
그냥 개집 사는 개지
비가 새는 개집 사는 개가 아니니까

태양님은 영원히 떠주어라
내가 다 말라비틀어지게

네게는 빈 밥그릇 툭툭 치며
허기를 건넬 거야

삶아 너 참 달구나
삶아 먹거라

꿀꺽

가슴 안으로
가슴 안으로

하나씩 욱여넣는다
집어 삼킨다

눈물 콧물 다 흘리며
우악스럽게

녹여내면 사는 거고
썩게 두면 죽는다

살고 싶다

그러니까 녹아라
죽어라, 죽어버려라

그래 널 삼킨 일로
나는 배탈 같은 게 나
며칠 아님 몇 년을 앓겠지

분명 널 삼킨 일로
절망 같은 게 와
나는 내가 아니게 되겠지

그래도 삼킬 거니
끈질기진 말아주어라

너도 살고 싶을 거다
근데 내가 살아야 우리가 산다

그러니까 제발
죽어라

자, 삼킨다

우적우적

덜컹 덜컹
비바람이 창을 두드려요

아이야 나와 가자
아이야 그 안보다 평화로운 곳으로

촛불이 더 더 크게 일렁이고

삶은 흔들려요

나는 서둘러 두개골을 잘라
넋 속을 뒤집니다

이렇게 죽을 순 없다는 아집 하나
내일은 해낼 거라는 거짓 희망 하나
하나 하나 둘
둘 넷
아니 하나

죽음만은 내 것이라는
그 탐욕 하나

나는 탐욕스런 주둥이로
창을 깬 뇌우를 맞으며

내 손과 발을 우적 우적

목이 닿지 않아
먹지 못한 가슴은
빗물에 젖어 들어가고

빗물은 스미다 스미다
눈까지 스미어

뚝 뚝 울며
우적 우적

돌

선택은 돌

내 삶의 어느 강변에
자갈처럼 퍼진
골랐던 선택들

나의 흐를 방향을 정하고
내가 닿지 못할 곳을 정하는

감히 내가 부딪힌들
이내 막혀버릴 곳들

사는 일은
자갈을 쌓는 일

작디작은 돌에
자신을 가두는 일

어느 돌은 너무 커
바위 같기도 하여
땅을 보게 하고
거긴 또 자갈이 만연해
토악질이 나는

차라리 눈이 멀까
보지 못하면 되지 않나
눈이 없었다면 나는 좀 더 눈 색이었을까

돌들을 삼킨다
위장으로

소화해내지 못한 감정들을 짓누르려
자갈을 하나씩 주워 넣는다

아주 짓누르려
가능한 커다랗고
죄스러운 것들로

돌탑

잊는 것이 나았다
깔봐지는 일들은 없는 게 나았다
상처받는 순간도 없는 게 나았다

너와의 좋은 기억들도
그걸 넣어둘 주머니가 아픔뿐이라
잊는 게 나았다

어제의 내가 잘한 일도 잊고
어제의 내가 못한 일은 둔다

죄는 되새긴다
행복은 내려둔다

나를 망치는 일로 속죄 따윌 원는
다른 죄를 쌓아 산다

다만 그럼에도
자신의 죄에 관대하진 않으련다

그리 얻는 행복은 불행보다 못하니까

그러니 쌓는다

쌓은 돌탑이 꼭
무덤처럼 생겼다

폭죽과 쓰레기

목요일은 을왕리도 조용했다

그저 폭죽이 쏘고 싶어 떠난 바다엔
무언가 삶 같은 게 뚜렷하여

빈 가게에 티비를 보며 재료를 손질하는 이모나
나처럼 혼자 떠나와 모래를 거니는 여인이 보였고

어느 카페에 커다란 강아지와
어느 길가에 조그만 고양이가 내게 곁을 내주었다

썰물로 휑해진 바다를 가로질러
움츠리던 파도 앞에 나닿은 채

바닥에 폭죽을 꼽고
부는 바람 등진 채 불을 붙였다

펑 하며 터지는 불꽃 오른쪽
밤낚시 하던 아저씨들
사그라드는 불꽃 왼쪽
소리 지르며 즐거운 대학생들
속을 비워낸 폭죽 앞의 나

위치도 참 나답다며

이제는 쓰레기가 된 폭죽이었던 무엇이
파도에 휩쓸려갈 때까지

술을 들이키며 담배를 피우는
파도에 같이 쓸려갔어야 할 쓰레기 하나

텅 빈 걸 인정 못하고
나도 아직 쏘아낼 게 남았다 믿는
그런 쓰레기 하나

아니 무엇이던 간절히 쏘아보고 싶은
불발난 폭죽 하나

이고 사는 것들

삶은 무겁고 받침이 두 개인 단어는 다 그런가 싶어
받침 많은 말을 찾는 날의 햇살이 따스워서
땅 보며 걷는 나를 두고 웃는 이들의 품에 아기는 예쁘게도
생겼길래 나 또한 그랬던 시절을 그려보면
그 분들도 무거움을 느낄 날을 주고 싶진 않았을 거라 나도
주고 싶지 않듯이
이겨내야 하는 거지만 나는 아슬아슬하고
날은 또 빌어먹게 좋아 터덜대는 걸음만 더 야속해
철문 너머 디딘 발 위로 다리가 주저앉는 일이 유독 아픈
사유는 또 무엇인지

생각 없이 쓴 글 1

여전히 나는 아무것도 아니고

그것을 무엇이든 될 수 있다고 받아들인다
그러려한다

이뤄낸 것은 텅 비었고
잃은 것을 가득 채운 곳간을
삶이라고 부르고

그 곳간을 태우는 것을 안식이라 부른다

솔직히 별 생각 없이 쓴다

생각 없이 나를 뒤져 뭐든 집으면 이런 게 나온다
절망 열등감 좌절 패배 뭐 그런

헤집고 헤집다 보면 한 번 쯤
희망 같은 것도 나온다
꿈 같은 것도
욕심이나 악의 같은 것도

구겨진 정수리에 담배꽁초를 올려두면
나는 케이크
그 날은 생일

아니 기일?

혼란스러운 글을 적는 혼란스러운 인간이라는 문장은 앞
뒤를 바꿔야 옳은 문장이겠다

나도 앞 뒤를 뒤집어야 옳은 인간일까

난해한 걸 예술이라 부르는 이도 있고
그걸 쓰레기라 부르는 이도 있다
그러니 예술과 쓰레기가 본질적으로 같다면
나는 예술가고 쓰레기겠다

무엇의 비중이 더 크냐를 따져야겠지만,
굳이 그러지는 않겠다

난 용감해서 달려든 적 없다
그저 달려들지도 못하게 되는 게 무서운 거다
천성적인 용감함과는 동떨어진
썩어빠진 무엇이 그 바닥에 있다

나는 썩었다
그리고 살아있다

모순이다

사냥꾼

나는 다섯 해 굶었어요
그 해가 해게요 아니면 해게요?

한 발 사뿐히
두 발 간절히

저 커다란 놈에게 다가가요
들키면 날 짓밟을 거에요
네 해엔 저 놈의 꼬리에 날라가 한 해를 아팠답니다

바라는 건 저 놈의 피로 얼굴을 닦는 일
저 놈의 팔과 다리를 모두 토막내는 일
또 그 동안 저 놈이 살아있는 일

복수와 사냥의 차이가 뭐게요?

-

죽이는 일에 그딴 게 뭐가 중요할까

화살촉을 벼르자
활 끝을 당겨
저 놈 속에 쑤셔박자

허기진 속에 맑아짐 머리는
몇 시간만 지나도 기능하지 않을 테니

근데 내 머리의 기능이 뭐게요?

투둑, 툭
끊어져가는 활시위
마지막 한 발이다

어차피 지금 못잡으면 죽음도 곧이다

죽음이 곧이다

침묵의 새벽

불 그 앞에 팔이 데인 시체 앞에 앉아
썰어놓고 먹지 못한 이를 구경하느라
저문 해가 돌고 돌아 다시 내게 오려하는
(그 해가 해게요 아니면 해게요?)

이는 바람 한 점에
잿더미가 벌겋게 부었다 가라앉으면
네 심장은 이미 죽었단다 아이야

살아있는 척 하는 불씨 위에
시선과 말을 내려
매장시켜버릴까

호흡 한 점 이지 않는 곳으로
묻고 묻고 묻고 묻어 묻자

아, 아, 거리는 짐승조차 죽은
뜰 것이긴 하나 뜨진 않은 해를
서걱 서걱 썰어 넣자
서걱 거리는 소리도 썰어 넣자

나도 썰어 넣지 않을 수 없지

팔부터 썰자

팔 다음은 다리를 썰자
아? 팔을 썰면 다리를 못 써나?
그럼 다리부터 썰자

마침내 팔 빼고는 썰 것이 없을 때
그 때 팔을 썰어 넣자

새벽은 고요하기만 하고-

지옥도

삶은 죽음을 딛고 서
인간의 발자국엔 핏물이 고인다

자신의 죽음을 늦추려 가축과 식물을 죽여
우적우적 꿀꺽 삼키는 것은 사실 죽음을 삼키는
모양이라 사람을 삶과 닮게 적는 것이고

그러니 너를 죽이려 한들
단지 나는 살고 싶을 뿐인 거다

누가 더 살고 싶은가를 겨루는 지옥도
더 죽이고 싶은 건 누군가를 겨루는 싸움판

마주 노려보면 동공과 동공에 살의가 비추고 내 입꼬리의
모양을 살피려 했다간 미쳐버리고 말 것이다

네게 죽으라고 말했더니 내게 죽으라고 들려 내가 죽으면
네가 죽는 지를 고민하던 날들도 있었다

네가 죽으면 내가 산다
이것만큼 확실한 게 없었는데

분열

나는 어느 날엔 공룡이 되고
어느 날엔 나를 죽이려 들다가
나는 공룡이 되고 나는 죽이려 들다가 내가 공룡이 돼서
나를 죽이려 들다가 나는 공룡이 되고 내가 죽이려 들다가
나를 죽이고 말아서 나는 공룡이 된다?
공룡은 무엇인가 하면 과거고
죽이는 것은 무엇인가 하면 과거라고 적는 일이다
나는 과거가 되었다가 과거를 적었다가 과거가 되었다가
과거를 적었다. 적었다?
적는다
적는 나는 과거로 현실을 표류하다 떠다니다 흐르다가
흐느끼다 걸어가다 도대체 세상은 왜 이렇게 거대해?
초침이 가는 만큼 심장이 뛰고 뛰는 만큼 호흡을 뱉고 뱉은
만큼 눈알을 굴리고 굴린 만큼 손가락을 비비다 피를 쭉
뽑아내어 슥
글자를
적은 나는 적었다고 써야 하지만 나는 지금 적고 있다고
적고 있다는 걸 적고 있다
나는 이 곳에 있으나 또 저 곳에 있는 내가 기이하여
기이하다 적으면 또 나는 그 곳에 있어 이 곳에 있는 나는
또 나의 존재를 붙들 것을 찾고 찾고 찾고 찾고 찾고 찾고
찾고 찾고 찾고 찾고 찾고 찾고 찾고 찾았다 아닌가? 찾았다
아니네? 찾는다 찾았다 나네? 아니네
결국 나는 산다는 게 이다지도 어렵다

네가 이 글이 빌어먹게 어렵듯이
내 죽음이 네겐 그렇게 될 듯이

개미

세상이 너무 거대하다
낙서남긴 이름을 얼마나 크게 적어야
내가 세상에 존재하게 될까
개미 같은 나는 우주에 비해 아니 그 이전에
이 행성보다도 전에
나 자신과 놓아도 한 없이 작기만 하여
슥 하고 치우면 그대로 죽어버릴
나는 작고 작아 그게 무섭다
이 작디 작은 것이 바라는 건 더럽게 많아
세상을 삼키려 주둥이를 갖다대지만
벌레에 물렸다는 감각조차 남길지 불확실한
벌레보다 못한가의 기준에 온 몸을 내던지고 있는
나는 대체 무엇이에요
살아는 있는 걸까요

이 글은 널 생각하며 쓴 글이 맞다

니가 그어준 선 사이로
내장이 쏟아진 채 걸었다

숨과 삼킴이 버거워
삶이 거칠었다

죽으려다가도 삶이 아까웠다
그래서 버텼고
스스로 불쌍히 여기지 않아보아도
난 참 처절했다

슬슬 끝이 보인다
닿으려던 곳이나 죽음 중 하나와 닿을 순간이 왔다

하나는 복수고 하나는 패배라
문득 네 표정이 궁금해
펜을 들었다

네 덕분이다
둘 다

고맙다
이 글을 읽고
너도 호흡이란 것의 무거움을 느꼈음 좋겠다

생각 없이 쓴 글 2

들이쉴 때 바스락대는 소리가 좋아 불도 밝아질 때
타인의 수면과 나의 깨어있음의 시차와 간격을 재며
자신을 해부하는 밤은 예전보단 덜하지만 없애지도 못한
잠옷의 털이 보슬거리는 걸 좋아하는 나는 세상이
보슬거리지 않아 세상을 좋아하지 않는 건지
일찍 자야겠단 다짐을 밤마다 잊듯이 자꾸 희망을
품어버리는 버릇이라던지
좋아하는 잠옷에 담배 냄새가 밸까 걱정하며 피는
한심함이라던지
휴식과 나태함의 경계선을 긋는 일의 어려움과 성실과
강박의 경계선을 긋는 일의 모호함
자신을 사랑하며 자신을 싫어하면 그것이 연민이란 초라함이
된다는 사실을 알게 된 나이 스물 여덟에 그래도 한참
어리기만 한
사람을 나누고 가리는 일에 지양을 더 많은 사람에 지향을
두어보고 그것이 행복일까를 고민하다 고민하다 고민하다
고민하다 꼬리를 물었는데 그것이 몸통이라 주둥이에 힘을
빼는 뱀
곰과 여우와 뱀 중에 나는 어디에 속하는지 하다 내가
어디에 속할 이유는 무엇인가 하다 속할 곳은 나여야 한다는
아집과 오만
사람 없이 살 수 없다지만 사람 없이 사는 삶이어야 평화란
것을 얻겠다는 계산 그리고 그게 현명인지 간악인지 따지는
밤 밤 밤 자꾸 밤

밤에는 생각이 많고 그 중엔 생각이랄 게 없어 결론으로
생각 없는 밤에 쓰는 글을 다시 읽어볼 내일의 나는 이걸
어떻게 받아들일래?

절벽

벼랑 위에 바람
흔들리는 사람

발밑으로 깎아지른 벽
발밑으로 지나온 길
둘 중 무엇이 절벽이었을까

어디가 절벽인가
아래인가 뒤인가

이 다음은 무엇인가
어디로 뛸 것인가

어디로 추락할 것인가
어디 떨어질 곳을

골라볼까

수건돌리기

빙그르 돌자
빙그르

앞앞사람의 등을 보는
앞사람의 등을 보자

뒷사람에게 보일 등을
시원하게 내비치자

우리의 죄는 돌고 도는

빙그르르 빙그르르
수건을 돌려볼까요
수건 대신 칼로 돌려볼까요

너는 어디서 상처를 입고 와
내게 상처를

나는 네게서 건네받은 상처를
이걸 또 누구에게

아 집어치울래
나는 놀이를 그만둘래

원 밖에 나앉으면 외롭고
떠넘기지 않음으로
혼자가 되어-

돌고 도는 죄야
너희끼리 놀아
나는 혼자 썩으련다

칼

비치는 건 추한 몰골

괴물이 되지 않고 살겠다니,
가소롭고 우습다

태어나길 괴물로 나놓고
태어난 대로 굴지 않는 것이
어찌 삶이겠니 아이야

보렴
멎지 않는 네 어미 피를
이미 너는 날이란다

벼리고 벼리고 벼리고 벼리고 벼리고
벼리고 벼리고 벼리고 벼리고 벼려서

아주 잘-
잘 드는 날

어미만이겠니?
너를 스친 이 중 네게 베이지 않은 이가 없어
그러니 외로운 거 아니겠니?

(넌 혼자란다)

아이야
아이야

너는 행복할 수 없어

그래선 안되잖니

울새 2

글이 날카로워졌다
주구장창 사랑 얘기만 지껄이던 단계를 지났다
아집과 독기가 서린 글을 쓸 땐 한 자 한 자 펜을 눌러가며
적어야 하는 거 알아?
내 문장은 느낌표로 끝맺지 않는다
그건 나라는 사람 또한 느낌표를 쓰지 않는 탓이다
새는 운다고 적었었다
나는 울음도 낼 줄 모르는 사람이라
새를 부러워한 건 단지 높은 곳을 날아서 뿐은 아니었을
거다
아무리 굶주려도 나는 크게 소리내지 않는다
머리 끝까지 화가 나도 나는 소리지르지 않는다
되려 나는 겁이 많다
좋아하는 아이 하나 지켜줘야 할 상황에도 나는 벌벌 떨었다
또한 집에 와 분노한다
나는 왜 한심한가
나는 왜 머저린가
아, 장담컨데 찌질이라 할 수 있다
나는 찌질이라 화내는 법을 모른다
나는 찌질이 주제에 소리내어 우는 법도 모른다
다만 나는 이런 나의 뿌리까지 파내려가는 인간이고
그 뿌리 끝에 나는 극단적이다
나는 적당히 화내는 법을 모른다
화낸 사람에게 화해를 청하는 법도 모른다

싸운 이와 잘 지내는 법도 모른다
단지 하나 아는 건
상대를 찍어 누르는 법뿐이다
화도 못내는 찌질이가 무슨 허센가 싶겠지만, 실로 그렇다
'화'라는 건 강자의 특권이다
상대방의 반격을 맞아도 되는 이가 취할 수 있는 행동이다
나는 아니다
나는 반격에 그대로 무너진다
그러니 철저히 찍어 누르고 부숴놓아야 한다
반격할 생각조차 못하도록 찢어발겨야 한다
일부러 빈틈을 내어 내 아가리 속으로 더 끌어들이고
숨통을 완전히 끊어놓아야 한다
이는 내가 약자이기 때문이다
그렇기에 스스로를 이기는 일은
스스로를 찢어 발겨 죽이는 수밖엔 없는 것이다
그러니까

곱게 죽어라

운석

정수리 위로
커어다랗고
빠알간
돌덩이가 다가오면
나는 웃으며
마침표를 맞을래

내게 활을 쏘던 이와
내가 주워 먹은 돌은
하등 다를 바 없다고 하면
너는 저 돌 탓이라고 할래?

아니야
아니야
저 돌 때문이 아니야

내 돌 때문이야
온전히 내 것이야

그 무엇도 내게서 뺏어갈 순 없는
오롯한 나만의 것이야
모든 걸 잃은 내게 하나 남은

그러니 냅둬, 탐내지 말고

자

신답게 살아야 해
신만큼 중요한 건 없어

만하지 않고
신을 늘 낮춰야 해 하지만

신답게 사는 일에
신을 낮추는 게 가당키나 한가?

신만을 믿어
신 말고 다른 이의 말을 곧이곧대로 듣지마

신의 신은 자신뿐이니까

살

서걱 서걱
토막낸다

흥건한 피
남은 온도

파들파들
떨리는 손

저질렀다
해버렸다

돌이킬 순
없다 이제

토막을 내
묻어두자

명복 따윈
빌지 말고

온전하게
죽여놓자

웃어야 해
울어야 해?

발굴현장

설거지를 하러 싱크대에 가면
그 위에 앉아 팔을 긋고 시체가 된 내가
거실엔 천장에 못을 박고 와이어로 목을 맨 내가
화장실엔 샤워기를 틀어놓고 또 팔을 그은 내가

이 집구석 구석구석에 내 시체가 잔뜩 있다

그 시체 더미 속에 설거지를 하고 샤워를 하는 나의 눈에만
비치는 시체들을 너는 볼 수 없기에 네게 나는 미쳐가는
걸로 보이겠지?

허나 무언갈 적고 만드는 일은 미친 사람의 일이니
내게 미쳤다는 말은 어떠한 칭찬에 가까워 괜찮다

이 글을 적으려 나는 싱크대에 꾸겨앉아 팔을 그은 내
두개골을 갈라 안에 있는 뇌에 잉크를 발라 종이 위에 뇌
주름 모양을 본뜬다

물줄기를 맞으며 싸늘해진 나의 입꼬리를 잘라 종이에 못
박고 거울로 표정을 따라하며 그 때의 나를 이해한다

과거를 헤집어 한 장 한 장 남긴다

아름답다

사랑을 부탁하는 일

나를 사랑해주면 안될까요?

–

(존재할 사유에 사랑 말고 넣을 것을 알려준다면 기꺼이
그리 적겠으나 없는 것 같아서요

만일 사랑이란 단어 앞뒤로 덧붙일 말 같은 것을 알려준다면
빼먹지 않고 적을 테니

그래주시면 안될까요

어여쁜 이의 손을 잡고 싶은 그런 마음 말고
못난 이의 흠을 안고 싶은 그런 마음을
내게 알려주거나 쥐어주거나 하면

그리하면 나도 아름다움이란 단어를 삶에서 발음할거고
그리하면 사는 게 소중해질 테니

당신으로 하여금
비로소 나라는 삶을 뜯어고쳐
내가 당신 말곤 아무것도 눈에 안 들어오게끔 그렇게

그렇게
당신이 그렇게
나의 아름다움과 삶이 되어주면 안될까요)

사랑을 부탁하는 이

나를 사랑해주면 안될까?

–

(아마 난 널 사랑하지 못하겠지
대신 평생 들키지 않을 테니까

동공에 사랑을 씌워서
그 너머는 못 보게 가려둘 테니까

의식하며 올린 입꼬리에
그냥 그대로 속아줄래?

그렇게 아무것도 모른 채로
문득 내가 기대고 싶을 때
의심 없이 그 품을 내어주라

아마 온기를 다 채우면
나는 네 품도 쓸모 없겠고,
그 탓에 쓸모가 다 된 널 떠나도
머문 값은 제대로 두고 갈 거라
너도 손해를 보진 않을 거니까

손해가 아님 너도 나쁠 거 하나 없는 거니까

그러니까,
응?
그래줄래?)

오늘은

사랑 같은 게 하고 싶은 날이다

해부

까맣고 까매야 해
빛도 따스함도 여유도
무엇 하나 살아있지 않는
새까만
방

너의 머리를 뽑아
귀찮으니 태워
머릿가죽을 가르고
두개골을 부수어
깡
깡

쇳덩이와 뼛조각 사이로
선분홍빛 주름이 보이면
그 때부턴 세심해야 해
벼려낸 버터나이프로
슥
슥
슥

맑은 피가 흐르는 건
이 새끼 오래 굶은 놈이네
서걱

서걱
서걱
서걱

서걱

악몽

펜 끝을 달에 담가
달빛이 묻은 뾰족함을 종이 위로 덧대면
그 위로 흉터를 내지르며 글이란 게 새겨져
나는 당신에게 흐르는 달빛을 보여줄 수 있다

먹 같은 하늘에 금 같이 빛나는 것 그것을
고작 잉크로 쓰는 사치의 황홀감과 배덕감에
쾌락하는 나는 그저 인간이고 당신이다

음표 위를 거니는 자와 선율 위를 뛰노는 자와
단어 사이를 고뇌하는 이는 모두 별빛으로 절정해보았고
나는 중독되어 있고 싶다

어느 날 문득 시야가 맑아져 쾌락의 덫이 없어져
끝내 그것을 느끼지 못하게 되면
나는 그저 죽은 것이고 그럼 나는 죽을 것이다

죽음이란 말을 많이 쓰는 나는 편견과 달리
죽음이란 것의 무게가 생명의 무게와 같다는 것을 알고
있으며 단지 생명이 그만큼 가벼울 뿐이라는 문장을
이해하는 이의 수 보단 아직은 별들을 헤아릴 뿐이다

황홀한 밤 끝에 맞을 아침이 문장의 끝과 같이 다가온다

마침이란 단어의 아름다움과 잔인함을 느낄 순간이 천천하고
멈춤 없이 걸어온다

제자리에 서 마주칠 시간을 늦춰야 할 내 발도 홀린 듯
천천하고 멈춤 없이 앞으로 나아간다

나는 그것을 꿈이라 말한다

원형극장

수백 개
새빨간 의자가
지켜본다

조명 줄기 내 먼지가 선명하다
어떻게 걸었었더라

시선이 무겁다
왜일까−

날 본다
즐거웠었는데

마루가 차갑다
즐거웠었지

아, 부끄러운 건가
그치, 그렇지

판관님
판관님들

일들 하세요
게으름 피지 말고

심판을 해요-

늘 하던 대로
나는 그저
있는 그대로
모든 걸 보여줄 테니

빠짐없이 보고 대답 해봐요

내가 살아도 돼요?

화석

죽은 것들을 파헤쳐
관절에 못을 박아
천장에 걸어두고
감상

저 곳엔 지느러미가
저 곳엔 아가미가
저 곳엔 죄가
후회가

싸우다 죽은 이들은
화석이 되어 굳으면
영원히 싸우게 된다

저를 본 누구의 머릿속에
저를 적은 누구의 책 안에
여전히 활을 쏘고
꼬리를 휘두를 거라

공룡 같은 과거와 마주하던 시절을
나는 이제 감상할 수 있다

무너지던 자신 또한
돌이켜 짚어볼 수 있다

아마 모두 죽었기 때문이지

죽었기에 그 뼈만 남아 못 박힌 채 매달려
내게 보여지는 것이지

그러니 나는 못이 박힐 팔꿈치를 괜히 쓸어
어떤 포즈로 매달릴 지를 그려보는 중

대롱 대롱

대롱 대롱

가르침을

삶을 물으려거든
대답해 줄 이를 찾아야 물을 텐데

그럼 누가 삶이란 것을
제대로 마주했을까를 따질까

마주한다는 것부터
따져볼까

그것과 맞서본 이만이
크게도 작게도 보지 않고
그대로를 볼 테니
나는 맞서본 이를 찾아야 하고

맞선 것의 승패가 정해진 인간 또한
그것을 크거나 작게 볼 것이니
나는 맞서는 중인 이를 찾아야 하고

나는 강자가 아니니
비열하고 치졸한 방식을 찾아야 하나
비열하고 치졸한 이는 닮고 싶지 않으니
그렇지 아니하나 그렇게 구는 이를 찾아야한다

찾아내면

찾는다면 물어보아야지

왜 사느냐고
왜 살고 싶느냐고

대롱대롱

매듭지은 짚으로 엮은 밧줄로 목에 매듭을 매어
어느 음산한 고목나무 가지에 달아 흔들리면 나는

이는 바람 한 점에 휩쓸렸다 고집스레 돌아오려 할 테고
흔들리는 나를 발견할 사람에겐 오십만원 정도를 발 밑에
두면 적당할까?

오십만원이 어디서 나온 액수일까를 따지며 펜으로 긋다가
사실 글을 쓸 땐 따져 나온 답 보단 따지는 것 자체를 적는
게 좋은 글이더라 그래서 그냥 따지다 말았다

어쨌든 돌아와 대롱 대롱 매달린 나는 혓바닥이 길 거고
바짓춤이 축축하고 어느 한 곳이 시퍼래진 채일 것이다

그건 알겠다마는
당최 과연 웃을 지 울고 있을 지가 헷갈린단 말이야

매달린다는 건 주워 담을 수 없으니 그냥 한 번 해볼 수도
없다고 쓰고 싶으면 네게 매달렸던 나도 저렇게 매달리는
것과 다를 바 없었다고 적으면 되지만 이제 너를 이용하는
일도 그만둬야겠지

저저번주에 나는 야간 근무를 가다 시간이 남아 걷게 된
산책 중에 밧줄이 매달린 고목을 보았고

영문 모르게 한참을 홀린 듯 쳐다보았었다

오십만원

오십만원은
직장인의 일주일 정도다
사를 곱해도 네 월급에 턱이 없다면
나는 네가 싫다

사람이 사람에게 일주일을 쓴다는 건
가벼운 일이 아니다
쉽지 않다

나는 휴일의 죽음부터
휴일의 두 번째 죽음까지를
네게 쓰는 거다

오십만원은 많은 걸 할 수 있다
나는 오십만원의 첫 날 너와 출근하는 사람들을 비웃을 수
있고
너는 오십만원의 마지막날까지 나를 종처럼 부릴 수 있다

이런 계산법에 딴지를 걸고 싶거든
너는 고파보지 않은 것이다

시간 또한 값이다

하지만 고파보았고 값도 낸 사람은

딴지를 걸어도 좋은 게 아닌가

하지만 난 네 딴지가 싫다
죽일 정도로 너를 경멸할 것 같다
허나 그것이 네가 옳지 못한 탓이 아니라면
그건 내가 옳지 못한 탓이다

나는 본디 옳지 못해 옳지 못해도 좋으나
그딴 태도 또한 옳지 못하다

–

에서 그만두었다

끝내며

오지랖 떨지마, 네가 도와줄 수 있는 건 없었어

삶은 노름판이나 다름 없고

거울 속의 나와 가위바위보를 하는 일과
과거가 되어버린 나와 옳고 그름을 따지는 일은
실 아무런 득이 없다

라고 적었다면 그것은 글자를 낭비하는 일일 뻔 했지

자신을 이길 때 까지 가위바위보를 해야 하고
과거의 옳고 그름을 따져 죄를 결론내야 한다

죗값을 치루지 않고
나와의 승부에서 도망친 나는

목이나 매다는 게 낫다

라고 적는대도 그 또한 글자를 낭비하는 일이지

-

그러나 나는 낭비하는 일이 즐겁다

먹고 살기도 버거운 게 시간과 돈을 낭비해 작품을 남기는
것도
무슨 군자라도 된 마냥 스스로의 순결함을 따지고 드는 것도
남을 짓밟는 일에 희열하지만 본성을 묻어두고 사는 것도

모든 것이 낭비라
삶이란 곳간만 텅텅 비어가지만
나는 빚을 내서라도 낭비할 놈이다

이리 흥청망청 살다
쌓인 빚에 짓눌려 죽을 팔자여도
나는 아끼고 살았어야 됐다는 후회마저 흥청망청할 생각이니

감히 내게 잣대 따윌 들이밀려거든
너 또한 죽음까지 판돈으로 써보고는 해라

나는 그 또한 이 노름판에 올려두었으니
얻거나 잃거나는 노름의 본질이 아니고
무엇을 걸 수 있는가가 노름판에 앉은 이를 결정짓는단 걸
아는지 부터 대어라

나는 꾼이 되려 할 뿐이다
너는 이해할 수 없겠지만

연어

누구는 그저 맡기는 것을
구태여 거슬러 가는

몸부림을 너는 미련이라 할까

떠나온 곳을 되찾겠단 마음으로는
그래 미련도 맞다
미련이 맞다

미련히 치는 발버둥을 비웃는
너희는 사실 걷고 싶다

내가 너희를 보며
머무르고 싶듯이

나도 너도
그렇다

우린 평생 탐내며
없는 것을 바라고
있는 것을 잊을 거다

그래
그렇다

우리는 같다
그러니 내가 거스르려는 것은
네가 아니다

판돈

올려라
올려 보아라

좁쌀만큼이라도 가여웠거든
우스웠거든

그래 올려보아라

읽고 있으니 너도 판에 앉은 것이야
읽고 생각했으니 너도 판에 앉은 것이야
그게 아님 판에 낄 깜냥조차 안됨이야

깜냥이 되거든
너 또한 무엇을 올리는 인간이거든
난대로 굴어 어디 올려보아라

저울을 시소처럼
삶으로 외줄을 튕기는 게 업인가
모인 구경꾼들 박수 하나 받자고
공중으로 쥔 것을 내던지는 게 업인가

그래 업이니 올려 보아라
먼저 땅에 떨어진 삶이 흙탕물을 뒹굴 때
비행하는 삶이 모든 걸 가져

흥청망청 놀아보자꾸나

흠 흠 콧노래를 부르자
추락을 비웃자
그 추락이 내 것이거든
비웃자
비웃자
나와 웃자

그러니
올려보아라

너도 가진 걸 모조리
내놓아 보거라

고요의 아침

재 그 앞에 시체 앞에 시체 앞에
다음 시체를 위해 내 시체를 뉘일 자리를 만드는
죽을 사람을 위해 죽을 준비를 하는
이상한 아이러니

썰어놓고 먹지 못한 이
썰어놓은 걸 먹고 죽은 이
그럼 내 차례엔 무엇을 해야 하나

저 둘과는 다른 죽음을 두어야 하는데
뒷사람도 다르게 죽어야 하는데
죽으러 오는 이들의 성의는 죽음뿐인데

아니야 우리는 알고 있잖아
우린 우리 방식을 지킬 거잖아

내 죽음부터 해두자

귀뚜라미 소리
습한 공기
피의 향
다 썰어넣자

썰린 것과 썰던 것

다 썰어넣자

서걱 서걱 서걱

아— 해가 뜨는구나
그래, 내 죽음은 네가 좋겠다
나는 태양에 말라죽은 이가 되어볼까?
아님 태양에 눈이 멀은 이가 되어볼까
아니면
아니면
아니면

그래, 너로 내가 무엇을 하면 될까—

소화

결국 나는 공룡일 때도
그것의 뼈를 발굴할 때도
발굴하는 나를 죽일 때도
죽이던 나의 시체 앞에서도

어떤 돌을 삼키는 지가 중요했다

무엇을 먹어
속 안에 담았고
무엇을 통해
그걸 녹여낼 건가–

무엇을 먹었고 무엇을 할 건가
무엇을 남겼고 무엇을 쓸 건가

너도 개걸스레 욱여넘겨봤어?

네 속에 있는 게 뭔지 감도 안와서
뭘 삼켜야 될 지도 당최 몰라서
눈으로 보기 전에 입에 닿으면
일단 삼켜서 넘겼다가

그 삼킨 걸 또 고민하는
그래서 너도

욱여넘겨봤어?

아냐, 아니야
너는 공룡이 아니야
나와 삼킨 걸 자랑해볼
그 사람이 아니야

그러니 넌 어때?
게걸스럽게 욱여넘겨봤어?

그 위에 살아있다

나는 살아있다
숨을 쉬어서가 아니라
글을 적어놓아서다

선명히 살아있다
춤을 추고 노래하니까

수백번 죽었지만
그 조차 먹어치우며
개걸스레 살아있다

아 그걸 너는 알까?

그 어떤 썩은 음식도
살기 위해서라면 나는 코를 박고 처먹을 거란 걸

아 더 살고 싶다
아주 오래 살고 싶어

비열하고 더럽고 치졸해서라도 그러고 싶어

그러고 싶어서 가족에게 죽어달라 말했고
어미를 버렸지
살고 싶단 이유만으로 그랬지

그래서 그 죄로 얽은 가슴을 다 갈아내어
끝내 심장마저 죽여버려
이렇게 살아있지

아, 살아있어
그 모든 걸 내버리고
내버렸단 사실만 등에 이고
발을 떼어 뚜벅 뚜벅 뚜벅 뚜벅

죽어? 누구 맘대로
그 조차 이젠 허락받지 못 해

죽도록 살아있어
정말 죽도록

그러니 내가
펜을 놓거나
춤을 멈추거나
노래를 멎는 걸로
죽어버리는 일은 없어

왜냐면 나는 살아있거든

아,

뱃노래

뱃길따라 걷자

콧노래가 뱃노래지 무얼

라리다디
흥얼대며

취기가 올라 비틀대며 걷자

한 걸음에 사랑
두 걸음에 희망

비워가며 걷자

라리다디
바다까지

라리다디
언제까지

정박

흔들흔들
삐걱대는 배

가장 자유로운 곳에
몸에 반을 두고
목을 맨 배

파도가 오는 꿈을 꾸었다
붕 뜨는 몸

파도 가는 악몽도 꾸었다
축 가라앉는 몸

꿈을 꾸다가 잃다가

너와 만난 일을
만났다고 적기까지
나는 몇 번의 파도를

몇 번의 만남을
몇 번의 이별을

넘실 넘실
부둣가의 아이들이 웃는다

공중에 흩어지는 웃음소리에
눈물이 날 것 같은 사유는?

아아–
넘실 넘실

일렁이는 것들에 대해서는
이미 적어버렸어

구름

파랗다
하늘

푹 찍어
옆으로
민 듯한 구름

둥실 둥실
급할 거
아플 거
하나 없이 마실

아,
눈 내리면
북적대는 인파

가는 길목 막아서는
느린 걸음
걸음 걸음 또 걸음

아― 구름이고 싶다
온 하늘이 내 것이라
얘네가 개미였음 좋겠다

가고픈 곳
닿고픈 곳
느긋이 향했음
그랬음

저 위에
더 위에 살고 싶다

올려다 본 이가
절망하도록 평화로운
그런 위에 살고 싶다

구름 보며
침을 뚝

묘비

적혀버린 내 이름이 바래지고
먼지가 쌓일 때
그 때도 햇살은 예쁠 거다

나는 햇빛줄기 사이 떠다니는 먼지를 좋아해서
햇빛줄기 사이 떠다니는 먼지를 떠올리려고
햇빛줄기 사이 떠다니는 먼지를 자주 적는다

그러니 내 이름 위 쌓인 먼지도
몰래 몰래 자리를 바꾸다
탈옥수 비추듯 내리쬐는 빛줄기에
그 행태가 밝혀지면

나는 그 아래 누워
아아, 좋다─

반대로 어느 폭풍 치는 날 뇌우가 찾아오면
온 몸이 젖어들어 꿉꿉하고
이 빌어먹을 건 언제 그치냐 생각을 하겠지만
더 먹어치우진 않아도 되겠지

내가 좋아하는 눈 나리는 날
아예 그 밑에 덮여
짓눌릴 듯 안긴 채

아아, 그것도 참 좋겠다

평온하단 것은 그리도 좋은 거겠다
그치,

그렇지

그치.

그래 평온했다
일어나야지

돌탑 2

해이해졌다 역겨워졌다 개같아졌다
아, 아니야
아니야
행복이니 평화니 그딴 게 아니야
바라지도 말아야 할 걸 자꾸 생각해 왜
벌이야

눈알을 뽑자

웃는 사람을 보며 웃고 싶어질 거면
보지 마 맹인으로 살아 차라리 죽어
모르고 저지른 게 아니잖아
이럴 줄 알고 저질렀잖아 책임져 감당해

한 귀를 자르자

자르는 일은 속죄도 선함도 위악도 무엇도 될 수 없어 다만
예술은 될 수 있는 것 같아
그러니 다 망가뜨려버려 언젠가 넌 사지가 잘린 채 어느
땅바닥에 죽어버리고 대신 담아내
니가 살아있는 건 오직 그 위함이야

두개골을 갈라
잉크를 뇌에 발라

심장을 잘라
태워

잿더미를 핏물에 담가 머리카락을 찍어 그려
그래야 해
너는 그래야 해

쌓은 돌탑은 꼭
무덤같이 생겼고

묻혔어야 할 이는
그 앞에 앉아 썰어 넣을 것을 쌓고

아아, 황홀한 꼴이다

브라키오사우르스 2

브라키오사우르스는
커져버린 덩치에 맞지 않게
아름다운 것을 좋아한다

들판에 푸르른 풀
나무에 매달린 잎
어느 줄기
어느 뿌리

넋을 놓고 다가가
의식도 못한 채 삼켜내며
감히 행복을 느끼다

주린 배가 차가며
잠든 뇌가 깨어날 때
자신이 무슨 짓을 했는가를 그려내어

돌을 찾는다

위장을 돌려놓을까요-

이건 신나게 떠들었던
쿵
이건 안겨서 품을 비볐던
쿵
이건 눈밭을 뒹굴며 표정을 놓았었던
쿵
이건 맥락 없이 세상이 찬란해 남몰래 울컥댔던
쿵
쿵
쿵

브라키오사우르스는 속을 비워야 했다
허나 브라키오사우르스는 위장이 너무 커
제 몸만으론 차마 그것들을 녹여낼 수가 없어
돌까지 삼키어가며 속 것을 되새긴다

그랬음 안됐던 무얼 버리는
그랬음 안됐던
그랬음 안됐던,

정말 그랬음 안됐던 건데

눈물을 뚝 뚝 흘리며
브라키오사우르스는 돌을 줏어먹는다
우적 우적
꿀꺽

잘못했어-

웃음 지으려하면 또 삼켜

잘못했어요-

꿀꺽

공룡 같던 과거는 여전하고
그보다 더 공룡 같아진 나를 과거로 마주할 나는
또 어떤 공룡이 됨으로써-

아아-,

브라키오 브라키오
사우르스

뇌우

글자는 공중으로 비행하고
네 이름
네 유언, 표정
범람하는 마침표가
짓누르려 나를
펜 끝처럼 번쩍 번쩍

아아, 뇌우구나
뇌우야
어쩐지 하늘이 검었다
해가 진 게 아니었구나

아아,
아.

그래 와
와서 잡아먹어
내어줄게, 응

아팠지 외로웠지 미웠지?
원망스러웠지 많이
아팠지?

보고 싶었지?

그래,
그래

몰아치고 천둥치고 벼락쳐 맘껏 쳐
괜찮아,
날 부수는 건
뭐든 괜찮아

괜찮으니까~

비만 내리지 마
응?

그것만,
제발

쿵
쿵
쿵

묵비의 정오

타닥 타닥-

터벅 터벅

뚝

.

.

.

(호흡)

.

.

.

서걱 서걱

서걱 서걱

타닥-

서걱,

.

.

서걱.

제 꼬리를 무는 뱀

제 꼬리를 무는 뱀이 처음 꼬리를 문 사유는 무엇일까 그건
자신을 물고 싶었던 걸까 아가리에 넣을 게 자신뿐이었던
걸까

제 꼬리를 무는 뱀은 꼬리를 질겅질겅 씹어대니 자해하는
뱀일까 그게 뭐든 살기 위해 주둥이에 처넣도록 살고 싶은
뱀일까

제 꼬리를 무는 뱀의 시야엔 세상이 있을까 자신이 있을까
아님 자신이 세상인데 혹시 그 세상이 죽도록 밉거나 한
걸까?

제 꼬리를 무는 뱀은 왜 도중에 아가리에 힘을 빼지 않는
걸까
제 꼬리를 무는 뱀은 왜 억겁 후에도 그대로이려고 하는
걸까 꼬리를 물며 물며 자전하고 싶은 걸까?

-

아니 너는 꼬리를 문 사유가 있음을 알아야한다
사유가 무엇인지 말고
그것이 존재함을 알아야한다
세상이 바보짓이라고 부르는 짓 중 진실된 바보짓은 일
할이고

구 할엔 각자의 사유가 있다
사유가 존재함을 아는 인간이 사람이고
아닌 인간은 한낱 살덩이에 불과한

-

제 꼬리를 무는 뱀은 돌고 돌며 원을 그리고 처음과는
정반대에 아가리를 두었다가도 어느새 처음 그 자리에
주둥이를 두었다가 다시 아가리를 두었다가 다시 다시 다시

돌고 도는 뱀은 아가리에 힘을 빼면 이 원을 나가 새 경치를
누릴 수 있음을 알고 알아 뼈가 저리고 자신을 그린
그림으로 멍청함을 설명하는 인간들을 들으며

그러며 동시에 아가리에 힘을 주는 사유는

내게 자신을 물어뜯을 사유가 있을 뿐이라
제 자신을 무는 이만큼
용서가 경멸스러운 이도 없을 것이고

-

제 꼬리를 무는 뱀이 눈물을 흘린다고 그것이 아가리에 힘을
뺄 사유는 되지 못하며 그깟 사유로 그만둘 일이었다면
애시당초 뱀은 꼬리를 물지 않았을 것이며 뱀은 자신의
이빨의 뾰족함과 독이 후회스럽고-

제 꼬리를 무는 뱀은 꼬리의 통각이 옅어져 진정 아픔이
없는 날도 있으며 없애둔 통각이 살아나 몸부림치며 비명을
지른 날엔 흘린 눈물을 그 다음 날 모두 삼키며 살아남고

제 꼬리를 무는 뱀은 제 죽음이 제 자신을 다 먹어치우는
날에 찾아오는 게 아닌 제 꼬리를 물지 않아 제 꼬리를 무는
뱀의 이름에서 제 꼬리를 물었음이 사라져 한낱 뱀이
돼버림으로써 맞이하는 걸 알고 있기에

-

돌 떨어지는 소리만
쿵 쿵 쿵

삶

살아야지
살아야 하는 거야

일어나자
걸어야지

음, 멈춤이라
과욕이지

뚜벅 뚜벅 뚜벅
이건 옆을 스치는
터벅 터버 터벅
이건 옆을 맴도는

아, 갑자기 차라도 뛰어들어
쳐주지 않으려나?
그건 도망치는 게 아니잖아
아아,

아니야
치인대도 살아남아야지
그래야지

삶은 무슨 공장처럼 아픔을 찍어내

팔리지 않는 재고만 찬
먼지 쌓인 창고에
불이라도 난다면
그럼 난 텅 비는 거잖아

안되지, 안돼

가득 찬 사람이 되어야지
밑 빠진 독구멍에 줄줄 새어도
잘린 목으로 피라도 부어 채워야지

으흠흠,
날 죽여서라도 살아야지
살아야 하잖아

아아— 삶이다
삶이야
하하,

사람

아, 붓을 들고 펜을 들자
아- 춤추자, 노래하자

정수리에 신 같은 것의 손가락이 들어와
온 뇌를 헤집은 이 마냥
아아- 남기자 만들자 그러자

오 무엇이 삶이냐니

삶을 이루는 건 호흡과 섭취, 각 장기의 상호작용과 각자의
인격이라 적으면 이는 인간에 대한 글이고

사람을 삶과 닮게 적는 사유는 삶은 사람의 것인 탓이니
삶은 호흡과 섭취 따위와 결을 두는 게 아닌 그 모든 과거와
현재의 선택으로 이루어진 고로 사람이란 선택 하나 하나를
모아 빚어낸 것과 같고

그러니 노래하고 그리고
적고 춤추자

아 사유가 무엇이냐니-

제가 버린 것들은 모두 저울 위에서 반대편에 놓여
졌었거든요

그러니 저 무용한 일들이 나의 선택이고 이는 나의 삶이자
곧 나란 사람이기 때문 하나
내가 인간이 아닌 사람으로 존재할 때 삶이 성립함을 알고
있는 것으로 무지라는 축복 또한 허락 받을 수 없는 탓 둘
해서 그것이

제 사유에요

그저 공중으로 쥔 것을 던져보고
떨어지는 모양새를 담는 것이
허락된 유일한 삶인지라–

나는 사람이고 싶습니다

소년

빈 것을 비게 두는 이가 어른이고
나는 소년

어른은 그냥 사는 이고
나는 후회를 모으는 이
그러니 소년

실수로 걷고
신나서 걷다가
정수리가 솟아
뒤를 봐야 할 때

제가 찍은 점들로
세상의 거대함을 목도할
나는 소년

있죠 있죠 아저씨
나는 멋진 어른이 될 거에요
후회할 일은 왜 만드나 모르겠어요
네? 아저씨는 만들었다구요?
왜요? 그럴 줄 몰랐어요?
응? 알았다구요?

음

있죠 있죠 아저씨,

혹시 바보에요?-

향수병

무언가 향기를 담는 용도는
인간 또한 같다

비 내린 새벽과
눈 쌓인 아침
버려진 하루와
떠돌던 하루들
찬란한 날들과
무너진 상실
사람 속 자신과
자신 속 자신
저지른 죄와
뒤늦은 속죄와
타인의 뻔뻔함
동시에 나와의 유사
충만한 삶과
무력한 죽음
그 앞을 뒤바꿨을 때의 울음
높은 곳에 서고 싶단 문장의
야망의 발음과 절망의 발음
그 간격
살겠다는 문장의
질감
향기

향기,

그래
너는 뭐를 담는 병이고 싶니

끝.

마치며-

안녕하세요. 읽어주신 '브라키오사우르스'의 작가 최울새입니다.

보통 시집 끝엔 저명하신 분의 감상을 바탕으로 한 해석이 붙곤 하는데요. 아쉽게도 제 주변에 문학적으로 저명하신 분이 전무하여 이렇게 직접 적게 되었습니다.

하지만 완벽한 해석을 드리진 않을 거예요.

이 책은 여러 번 돌려 읽으며 어떤 글과 어떤 글이 연결되어 있는지, 또 그 글들을 이었을 때 어떤 것들이 보이는 지 여러분이 찾아가는 게 재미인 책이거든요.

하지만 약간의 해석과 몇 가지 말을 남깁니다.

아니다 죄송해요. 역시 해석은 안 남길래요.

몇 가지 드리고 싶은 말들만 남기겠습니다.

첫째로, 사전적으로 정확한 표기는
브라키오사우'루′스가 맞다는 걸 알고 있습니다.
다만, 제 의식상 자리 잡은 단어인
브라키오사우'르′스가 더 작품에 적합하다
생각되어 따르진 않았습니다.

둘째로, 혹여나 읽으신 후 제 생사 및 정신건강의
안위 같은 건 묻지 말아주셨음 합니다.
괜찮냐는 류의 질문에 할 말이 한 가지 말곤 다
곤란한 대답들뿐이어서요. '괜찮다' 외에 다른
답이 나왔을 때를 준비하고 물어보시는 거면 또
모를까-
본문에 기재했듯 여러분이 도울 수 있는 건
없었습니다(아마 앞으로도 없을 거구요).

그리고

'과거'는 실시간으로 새겨지는 문신 같은 거라고
생각해요.

인생이라는 유일한 도화지에
내 선택들을 하나하나 남기는 일의 연속?
문제는 남길 도구가 타투펜뿐이란 것 정도.

하지만 어쩌겠습니까— 삶이란 게 원래 바라서
시작되는 것도 아니고, 나 편한 대로 이행할 수도
없는 거니까요. 겸허히 받아들여야죠 뭐.

그래서일까 흔히들 '과거를 바꿀 수 있다면
어떻게 행동할 지' 다룹니다.

아마 한 번쯤 하는 생각이라 서겠죠.

여러분들은 어때요?
만약 기억을 가지고 과거로 돌아간다면 이전과
다르게 행동하실 건가요?

저는 반복할 거예요. 똑같은 죄를 똑같이 지어서,
똑같이 아파할 겁니다.

왜냐면 그 선택을 하던 당시에도 전 이렇게
후회할 줄 알았거든요.

과거로 돌아간다 한들, 이 후회를 할 줄 알고서
고르는 선택인 건 매한가지인데,
단순히 이게 생각보다 더 아프단 사유로 다시
고르지 않는다-,
전 그렇게 역겹고 싶진 않네요.

제겐 빠져나갈 변명거리가 없어요.

어차피 시간을 돌릴 수도 없는 저는 그 과거를
마주할 방법이 속죄뿐이라, 현세와 지옥 그
중간의 연옥쯤에 머릴 두어야만 하는 그 강박
같은 걸 담고 싶었습니다.

죽어서도, 또 완전히 살아서도 안돼서
죽기 직전엔 삶을 탐하다 살기 직전엔 날
죽여가는 죽음과 삶 그 사이에서 줄을 타는 어떤
상태

그 상태를 유지하기 위해 내면적으로 반복되는
어떤 원

그리고 그 원에 자신을 잡아 처넣는 자학과
살기 위해 그런 자신을 찔러 죽이는 자학

그런 것들의 어떤 순환 같은 것?

참고로 단어 하나하나 곱씹어보면서 읽어보시는
것도 좋아요.

브라키오사우르스가 '어디'에 살았지?
과거구나–
이 책 내내 썰어 넣던 것은 뭐지?

자신이구나— 하면서 읽어보시면
또 느낌이 다를 거예요.

해석은 안 남긴다 해놓고 잔뜩 남겼네요.
역시 밤마다 일찍 자겠단 다짐을 자꾸 잊는
저답습니다.

뭐 아무튼, 제게는 꽤나 길었던 2년이란 시간을
내리 작업한 작품을 세상에 내놓고 있다 보니
이 책이 어떤 형식으로든 여러분에게 울림을
남기면 좋겠다는 욕심이 들어 이렇게 조금 긴
글까지 적게 되었습니다.

하지만 걱정 마세요. 이 글도 거의 끝나갑니다.

정말 마지막으로,
책을 만드는 내내 원고를 읽어가며 피드백
해주고 시작의 말까지 써주겠다고 발 벗고
나서준 제 친구이자 글 친구이자 술친구 환희와

이전부터 제가 만든 작품들을 주의 깊게 봐주며
많은 응원 보내준 빈아

이번 책의 표지를 고민할 때 선뜻 도와주겠다고
연락해주신 분들

그동안 소리 소문 없이 저를 지켜봐주시며
조용한 응원을 보내주시는 많은 분들 그리고
마지막까지 읽어주신 모든 분들한테

정말 고개 숙여 감사드립니다.

여러분들의 인생은 이런 후회할 일 평생
없으셨음 좋겠습니다. 부디 더 행복하세요.

감사합니다.
작가 최울새였습니다.

- 최울새 올림 -